D0066043

CLINS D'ŒIL
POUR LES
NOSTALGIQUES
DANS LA **60** AINE

DANS MON TEMPS...
CLINS D'ŒIL POUR LES NOSTALGIQUES
DANS LA 60 AINE

TEXTE

Valérie Caron
Laurence Cayer-Desrosiers
Marianne Prairie

ILLUSTRATION

Elise Eskanazi
Isabelle C. Espanet

Ma mère a décroché
ses plus beaux rideaux
pour faire nos habits du
dimanche. En habit du
dimanche, on était bien
beaux, mais on ne pouvait
rien faire.

Ma mère n'avait pas la possibilité de nous envoyer dans une garderie. Lorsque nous étions tannants, elle pouvait se défouler en sacrant après son moulin à tordre.

À chaque mois, quand on allait à confesse, je m'inventais des confessions pour ne pas paraître louche. Eh que je me suis donc chicanée avec mon frère !

À la petite école,
on commençait
chaque journée en
récitant une prière.
Ça nous assommait
comme une shot
de Ritalin.

Quand on finissait
un pique-nique au bord
de l'eau, ce n'était pas long
de ramasser. Un simple
secouage de nappe
au-dessus de la rivière
et le tour était joué !

À 19 h, tout le monde s'agenouillait devant la radio pour notre rendez-vous quotidien avec le cardinal Léger. Les vaches elles-mêmes s'arrêtaient pour meugler le chapelet.

Les billes seraient aujourd'hui interdites dans les cours d'école parce que : 1. les enfants pourraient s'étouffer avec les billes; 2. cela encourage la dépendance au jeu et le gambling; 3. danger de développer une allergie aux billes.

Quand ma mère me donnait 5 ¢, je me dépêchais d'aller acheter un p'tit Chinois. J'pense qu'on les a très bien aidés parce qu'aujourd'hui, ils n'ont plus besoin de nos 5 ¢.

Dans mon temps, il fallait réchauffer la télé comme un vieux char l'hiver. Il fallait la partir 15 minutes d'avance pour que les lampes soient allumées à temps pour *Jeunesse d'aujourd'hui*.

On n'a pu les hivers qu'on avait. Triste. On n'a plus les combines à pattes longues qu'on avait. Hourra !

Le Coca-Cola était considéré à la fois comme une boisson désaltérante et un médicament. Les enfants étaient TRÈS dynamiques.

Dans mon temps,
les serviettes
sanitaires s'attachaient
avec des épingles.
On n'allait pas faire de
l'équitation avec ça.

Grâce à ma roulette magique, je me sentais libre, légère et je pouvais m'envoyer en l'air. Bon, les hormones m'ont donné une moustache et 20 livres de plus, mais je pouvais m'envoyer en l'air !

Plus facile de batifoler dans un char quand les banquettes étaient aussi grosses que des lits king. Batifoler dans une Smart ? Bonne chance, les jeunes !

ELVIS PRESLEY

Mes quatre frères avaient la même coiffure qu'Elvis. Il y a eu une pénurie de saindoux cette année-là. Ça ne s'était pas vu depuis la guerre.

Dans mon temps, les Canadiens savaient jouer au hockey et nous, on savait comment prononcer leurs noms.

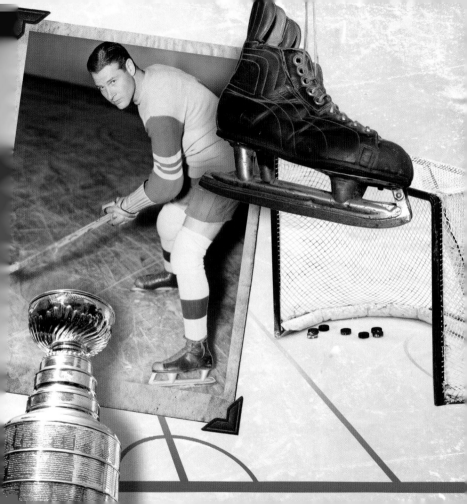

Quand j'avais 25 ans, les tatouages, c'était pour les motards. S'il avait fallu que je me fasse une manche de tatouages, je me serais fait exorciser.

Aucun de mes amis ne consommait des protéines pour gonfler ses muscles. Par contre, ils prenaient tous du 20-20-20 pour une moustache plus touffue.

J'ai perdu
mon toupet roulé
lors d'un fâcheux
accident de fer à friser.

L'arrivée des barbecues au gaz : les sourcils de papa ont disparu cet été-là.

Après la maison et l'auto, le manteau en poil de chat sauvage était l'article à posséder pour une vie réussie. Si t'avais le casque assorti, t'étais VIP à la messe de minuit.

J'ai tellement liché de timbres que j'ai eu une batterie de cuisine, mais j'avais plus de papilles pour goûter mes recettes.

Quand mes enfants ont su compter, j'ai pu les envoyer m'acheter des cigarettes et de la bière au dépanneur. Pendant ce temps-là, j'en profitais pour jouer avec leur Atari.

J'aurais vraiment voulu ressembler à Twiggy, mais il aurait fallu que je me coupe une jambe pour atteindre son poids.

Les téléthéâtres
m'ont marqué à
jamais. Je rêve
encore à Jean Duceppe
en collerette.

WASHINGTON. DC
SEP
9
1969

FIRST MAN ON THE MOON UNITED STA

FIRST DAY OF ISSUE

Lorsque Neil Armstrong
a marché sur la lune,
je twistais dans le
salon. Un petit pas pour
l'homme, un tour
de rein pour Roger !

Dans mon temps,
partir sur le pouce, c'était
le moyen de transport
idéal. On ne se faisait pas
achaler. Nos ponchos en
laine brute créaient une
barrière psychologique
assez forte.

Comment faire le ménage de l'auto en 1970 : on embarquait quatre personnes dans le char et tout le monde tirait des affaires par les fenêtres.

Ma sœur Ghislaine était serveuse en patins à roulettes au drive-in du coin. Ses palettes sont encore incrustées dans le capot d'une Ford Thunderbird.

Je ne suis pas dépaysée quand je prends le métro : c'est encore la même déco. Et je dis encore Berri-de Montigny.

Direction artistique : Elise Eskanazi
Mise en pages : Elise Eskanazi et Isabelle C. Espanet
Illustrations (intérieur et couverture) : Shutterstock.com et Istockphoto.com
Correction d'épreuves : Cynthia Cloutier Marenger

Imprimé au Canada
ISBN : 978-2-89642-733-8
Dépôt légal – Bibliothèque et Archives nationales du Québec, 2012
© 2012 Éditions Caractère

Tous droits réservés. Toute reproduction, traduction ou adaptation en tout ou en partie, par quelque procédé que ce soit, est strictement interdite sans l'autorisation préalable de l'Éditeur.

Les Éditions Caractère remercient le gouvernement du Québec – Programme de crédit d'impôt pour l'édition de livres – Gestion SODEC.

Les Éditions Caractère reconnaissent l'aide financière du gouvernement du Canada par l'entremise du Fonds du livre du Canada pour leurs activités d'édition.

Visitez le site des Éditions Caractère
editionscaractere.com